Jean de La Fontaine
Fables choisies

Illustrations de G. Raimon

Editions HEMMA

Le loup et l'agneau

La raison du plus fort est toujours la meilleure :
Nous l'allons montrer tout à l'heure.
Un agneau se désaltérait
Dans le courant d'une onde pure.
Un loup survient à jeun, qui cherchait aventure,
Et que la faim en ces lieux attirait.
«Qui te rend si hardi de troubler mon breuvage?
Dit cet animal plein de rage :
Tu seras châtié de ta témérité.
– Sire, répond l'agneau, que Votre Majesté
Ne se mette pas en colère;
Mais plutôt qu'Elle considère
Que je me vas désaltérant
Dans le courant,
Plus de vingt pas au-dessous d'Elle;
Et que par conséquent, en aucune façon,
Je ne puis troubler sa boisson.
– Tu la troubles! reprit cette bête cruelle;
Et je sais que de moi tu médis l'an passé.
– Comment l'aurais-je fait, si je n'étais pas né?
Reprit l'agneau; je tette encor ma mère.
– Si ce n'est toi, c'est donc ton frère.
– Je n'en ai point. – C'est donc quelqu'un des tiens;
Car vous ne m'épargnez guère,
Vous, vos bergers et vos chiens.
On me l'a dit : il faut que je me venge.»
Là-dessus, au fond des forêts
Le loup l'emporte, et puis le mange,
Sans autre forme de procès.

La cigale
et la fourmi

La cigale, ayant chanté
Tout l'été,
Se trouva fort dépourvue
Quand la bise fut venue :
Pas un seul petit morceau
De mouche ou de vermisseau.
Elle alla crier famine
Chez la fourmi sa voisine,
La priant de lui prêter
Quelque grain pour subsister
Jusqu'à la saison nouvelle.
«Je vous paierai, lui dit-elle,
Avant l'août, foi d'animal,
Intérêt et principal.»
La fourmi n'est pas prêteuse :
C'est là son moindre défaut.
«Que faisiez-vous au temps chaud?
Dit-elle à cette emprunteuse.
– Nuit et jour, à tout venant
Je chantais, ne vous déplaise.
– Vous chantiez? j'en suis fort aise.
Eh bien! dansez maintenant.»

Le corbeau et le renard

Maître Corbeau, sur un arbre perché,
Tenait en son bec un fromage.
Maître Renard, par l'odeur alléché,
Lui tint à peu près ce langage :
«Hé! bonjour, Monsieur du Corbeau!
Que vous êtes joli! que vous me semblez beau!
Sans mentir, si votre ramage
Se rapporte à votre plumage,
Vous êtes le phénix des hôtes de ces bois.»
A ces mots le corbeau ne se sent pas de joie;
Et, pour montrer sa belle voix,
Il ouvre un large bec, laisse tomber sa proie.
Le renard s'en saisit, et dit : «Mon bon Monsieur,
Apprenez que tout flatteur,
Vit aux dépens de celui qui l'écoute.
Cette leçon vaut bien un fromage, sans doute.»
Le corbeau, honteux et confus,
Jura, mais un peu tard, qu'on ne l'y prendrait plus.

Le rat de ville et le rat des champs

Autrefois le rat de ville
Invita le rat des champs,
D'une façon fort civile,
A des reliefs d'ortolans.

Sur un tapis de Turquie
Le couvert se trouva mis.
Je laisse à penser la vie
Que firent ces deux amis.

Le régal fut fort honnête :
Rien ne manquait au festin;
Mais quelqu'un troubla la fête
Pendant qu'ils étaient en train.

A la porte de la salle
Ils entendirent du bruit.
Le rat de ville détale ;
Son camarade le suit.

Le bruit cesse, on se retire :
Rats en campagne aussitôt ;
Et le citadin de dire :
«Achevons tout notre rôt.

– C'est assez, dit le rustique ;
Demain vous viendrez chez moi.
Ce n'est pas que je me pique
De tous vos festins de roi ;

Mais rien ne vient m'interrompre ;
Je mange tout à loisir.
Adieu donc. Fi du plaisir
Que la crainte peut corrompre!»

La poule aux œufs d'or

L'avarice perd tout en voulant tout gagner.
　　Je ne veux, pour le témoigner,
Que celui dont la poule, à ce que dit la fable,
　　Pondait tous les jours un œuf d'or.
Il crut que dans son corps elle avait un trésor :
Il la tua, l'ouvrit, et la trouva semblable
A celles dont les œufs ne lui rapportaient rien,
S'étant lui-même ôté le plus beau de son bien.

　　Belle leçon pour les gens chiches !
Pendant ces derniers temps, combien en a-t-on vus
Qui du soir au matin sont pauvres devenus,
　　Pour vouloir trop tôt être riches !

Le lièvre et la tortue

Rien ne sert de courir; il faut partir à point.
Le lièvre et la tortue en sont un témoignage.
«Gageons, dit celle-ci, que vous n'atteindrez point
Sitôt que moi ce but. — Sitôt? Etes-vous sage?
  Repartit l'animal léger.
  Ma commère, il faut vous purger
  Avec quatre grains d'ellébore.
  — Sage ou non, je parie encore.»
  Ainsi fut fait; et de tous deux
  On mit près du but les enjeux.
  Savoir quoi, ce n'est pas l'affaire,
  Ni de quel juge l'on convint.
Notre lièvre n'avait que quatre pas à faire;
J'entends de ceux qu'il fait lorsque, prêt d'être atteint,
Il s'éloigne des chiens, les renvoie aux calendes,

Et leur fait arpenter les landes.
Ayant, dis-je, du temps de reste pour brouter,
      Pour dormir, et pour écouter
D'où vient le vent, il laisse la tortue
      Aller son train de sénateur.
      Elle part, elle s'évertue;
      Elle se hâte avec lenteur.
Lui cependant méprise une telle victoire,
      Tient la gageure à peu de gloire,
      Croit qu'il y va de son honneur
De partir tard. Il broute, il se repose,
      Il s'amuse à toute autre chose
Qu'à la gageure. A la fin, quand il vit
Que l'autre touchait presque au bout de la carrière,
Il partit comme un trait; mais les élans qu'il fit
Furent vains : la tortue arriva la première.
«Eh bien! lui cria-t-elle, avais-je pas raison?
      De quoi vous sert votre vitesse?
      Moi l'emporter! Et que serait-ce
      Si vous portiez une maison?»

Le héron

Un jour, sur ses longs pieds, allait, je ne sais où,
Le héron au long bec emmanché d'un long cou.
Il côtoyait une rivière.
L'onde était transparente ainsi qu'aux plus beaux jours;
Ma commère la carpe y faisait mille tours
Avec le brochet son compère.
Le héron en eût fait aisément son profit :
Tous approchaient du bord; l'oiseau n'avait qu'à
prendre.
Mais il crut mieux faire d'attendre
Qu'il eût un peu plus d'appétit :
Il vivait de régime, et mangeait à ses heures.
Après quelques moments l'appétit vint; l'oiseau,
S'approchant du bord, vit sur l'eau
Des tanches qui sortaient du fond de ces demeures.
Le mets ne lui plut pas; il s'attendait à mieux,
Et montrait un goût dédaigneux,
Comme le rat du bon Horace.
«Moi, des tanches? dit-il, moi, héron, que je fasse
Une si pauvre chère? Et pour qui me prend-on?»
La tanche rebutée, il trouva du goujon.
«Du goujon? c'est bien là le dîner d'un héron!
J'ouvrirais pour si peu le bec! Aux dieux ne plaise!»
Il l'ouvrit pour bien moins : tout alla de façon
Qu'il ne vit plus aucun poisson.
La faim le prit : il fut tout heureux et tout aise
De rencontrer un limaçon.

Le lion et le rat

Il faut, autant qu'on peut, obliger tout le monde :
On a souvent besoin d'un plus petit que soi.
De cette vérité deux fables feront foi,
    Tant la chose en preuves abonde.
    Entre les pattes d'un lion
Un rat sortit de terre assez à l'étourdie.
Le roi des animaux, en cette occasion,
Montra ce qu'il était, et lui donna la vie.

Ce bienfait ne fut pas perdu.
Quelqu'un aurait-il jamais cru
Qu'un lion d'un rat eût affaire?
Cependant, il advint qu'au sortir des forêts
Ce lion fut pris dans des rets,
Dont ses rugissements ne le purent défaire.
Sire rat accourut, et fit tant par ses dents
Qu'une maille rongée emporta tout l'ouvrage.
Patience et longueur de temps
Font plus que force ni que rage.

La grenouille qui veut se faire aussi grosse que le bœuf

Une grenouille vit un bœuf
Qui lui sembla de belle taille.
Elle, qui n'était pas grosse en tout comme un œuf,
Envieuse, s'étend, et s'engle, et se travaille
    Pour égaler l'animal en grosseur,
    Disant : «Regardez bien, ma sœur;
Est-ce assez? dites-moi; n'y suis-je point encore?
    – Nenni. – M'y voici donc? – Point du tout. – M'y voilà?
    – Vous n'en approchez point.» La chétive pécore
        S'enfla si bien qu'elle creva.

Le monde est plein de gens qui ne sont pas plus sages :
Tout bourgeois veut bâtir comme les grands seigneurs;
    Tout petit prince a des ambassadeurs;
    Tout marquis veut avoir des pages.

Le renard et les raisins

Certain renard gascon, d'autres disent normand,
Mourant presque de faim, vit au haut d'une treille
    Des raisins mûrs apparemment,
    Et couverts d'une peau vermeille.
Le galant en eût fait volontiers un repas;
    Mais comme il n'y pouvait atteindre :
«Ils sont trop verts, dit-il, et bons pour des goujats.»
    Fit-il pas mieux que de se plaindre?

Imprimé en Belgique
Dépôt légal : 1.89/0058/37

© Editions HEMMA
N° d'impression : 676881